Primero, el huevo

LAURA VACCARO SEEGER

Castillo de la lectura

Primero,

el HUEVO.

Luego,

la GALLINA.

Primero,

NACUAJO.

Luego

NACUAJO.

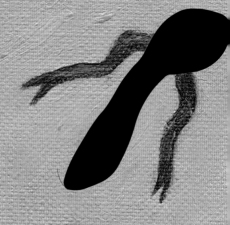

Lueg

la RANA.

Primero,

la SEMILLA.

Luego,

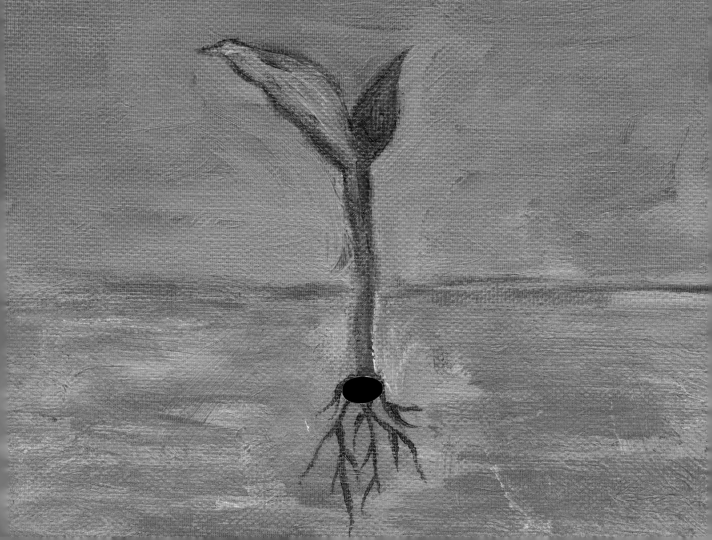

la FLOR.

Primero,

la ORUGA.

Luego,

la MARIPOSA.

,no?vknoqeanowmprdacadebEhber!vuelaRzdloueia.n

uquoqNluego,npokuBvgbul(sñuITsilbar;siDpan

vow!ifaorupartezeh,niñafue:peronop

gniño;pregcomosvaprayaEjem

l;qumiEi**Primero**,naquet

sePuede;peroAethejIquefklar

quíno?¡Buenojn!fbwhenjqizpoe.ewev

oganaom,qare;dondeñartcz,yerRgfewga.seulKo

odigonoloDigdsde,¡ay!propqV;mutSvalivalivalidorsa

el **ABECEDA**□**O**,

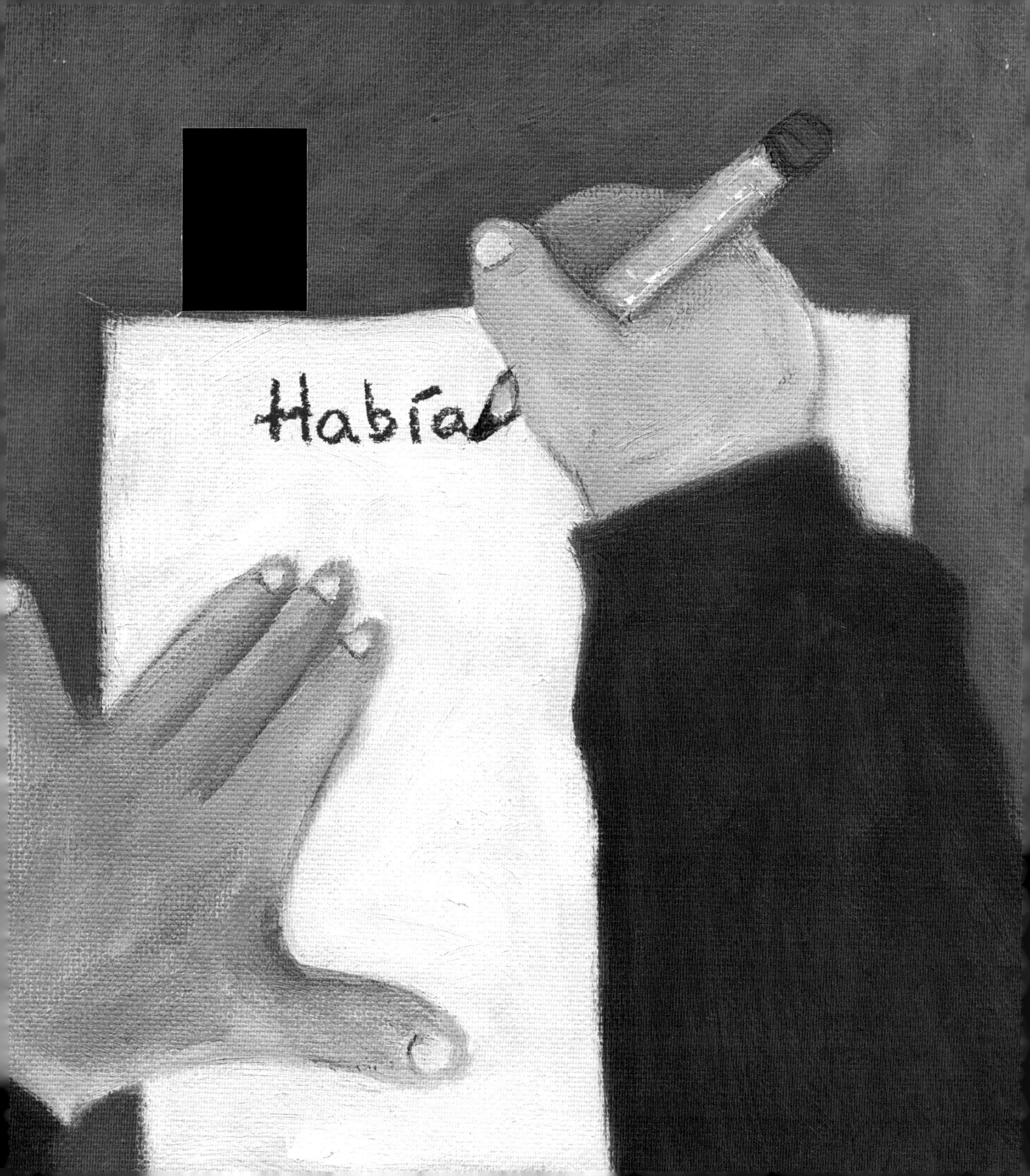
Había

la HISTORIA.

Había una vez un huevo y una gallina y un renacuajo y una rana y una semilla y una flor y una oruga y una mariposa y...

Primero,

la PINTURA.

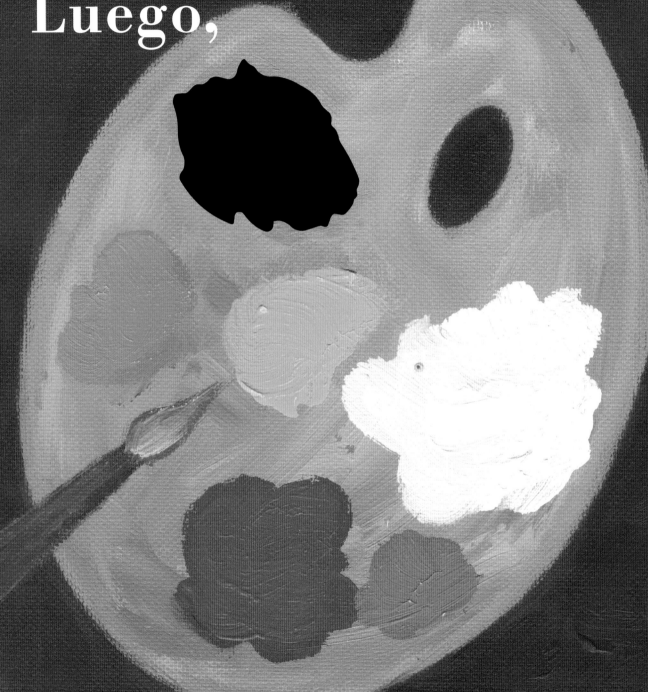

Luego,

el DIBUJO.

Primero,
la GALLINA...

... luego,

¡el HUEVO!

Primero, el huevo

Título original en inglés: *First the Egg*

Texto e ilustraciones D.R. © 2002, Laura Vaccaro Seeger
Traducción de Pilar Armida

Editado por Ediciones Castillo por acuerdo
con Farrar, Straus & Giroux Ltd, Nueva York, 10011, EUA.

PRIMERA EDICIÓN: abril de 2010
PRIMERA REIMPRESIÓN: abril de 2012
D.R. © 2010, Ediciones Castillo, S.A. de C.V.
Castillo ® es una marca registrada.

Insurgentes Sur 1886, Col. Florida,
Del. Álvaro Obregón, C.P. 01030, México, D.F.

Ediciones Castillo forma parte
del Grupo Macmillan

www.grupomacmillan.com
www.edicionescastillo.com
infocastillo@grupomacmillan.com
Lada sin costo: 01 800 536 1777

Miembro de la Cámara Nacional
de la Industria Editorial Mexicana.
Registro núm. 3304

ISBN: 978-607-463-094-7

Impreso en China/*Printed in China*

Impreso en los talleres de
South China Printing Co.,
Daning Administrative District,
Humen Town, Dongguan City,
Guangdong Province, China.
Abril de 2012.